ツツミマスさんと
3つのおくりもの
こがしわかおり 作

ツミマスさんのおしごとは、
なんでもつつむこと。

だから、「ツツミマス《つつみます》」さん。
ツツミマスさんは、どうして、
ツツミマスさんになったのでしょう。
それは、ツツミマスさんがまだ、こーんなに
ちいちゃかったころのことです。

あるひ、ツツミマスさんに、
おくりもののつつみがとどきました。
「じいちゃんからだ」

ツツミマスさんは、つつみを
うっとりとながめて、いいました。
「これって、すっごく
すてきだねえ…。
でも、なににつかうもの？」
つつみはあけるものだ、ということを
しらなかったのです。つつみをみるのも、
もらうのも、はじめてでしたから。
おそるおそる、リボンをほどいて、

かみをひろげてみると、
なかには、えりまきが
はいっていました。
ツツミマスさんは、うれしくって
ぞくぞくっとしました。

シュルルルルッ
いいおと〜
いい〜におい
かみのにおい
ガサガ
カサカサ
じいちゃんより

ところが、ツツミマスさんは、せっかくあけたつつみを、もとどおりにつつんでしまいました。

そしてまた、つつみをあけて、ぞくぞくっ！

つつんであけて、つつんであけて。なんどもなんども。

ツツミマスさんは、つつみに、もう、むちゅう。

「つつむって、つつむって、すごい！」

ツツミマスさんは、あれもこれも、
つつんで、つつんで、つつみまくりました。

つつむってべんり。

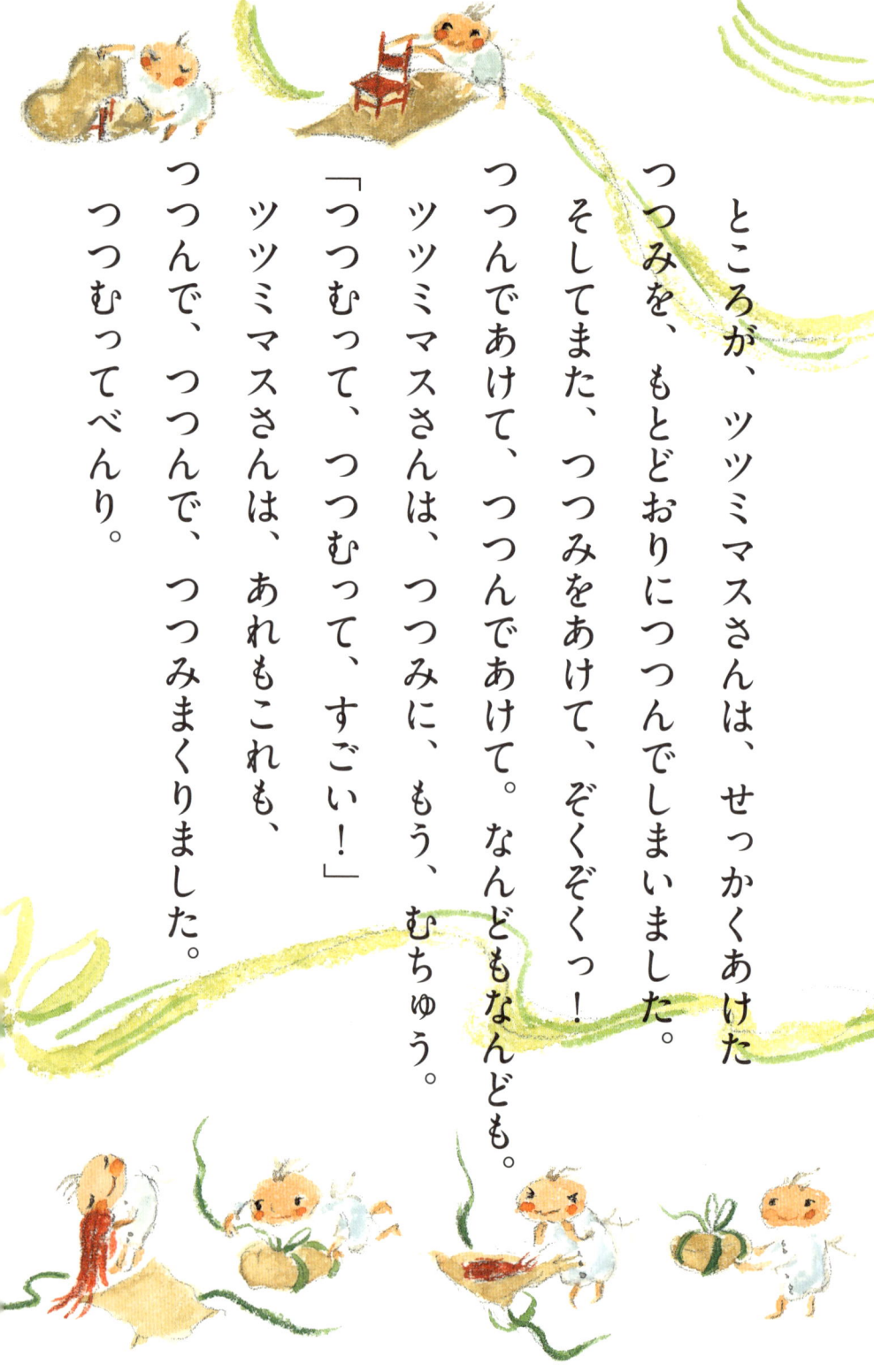

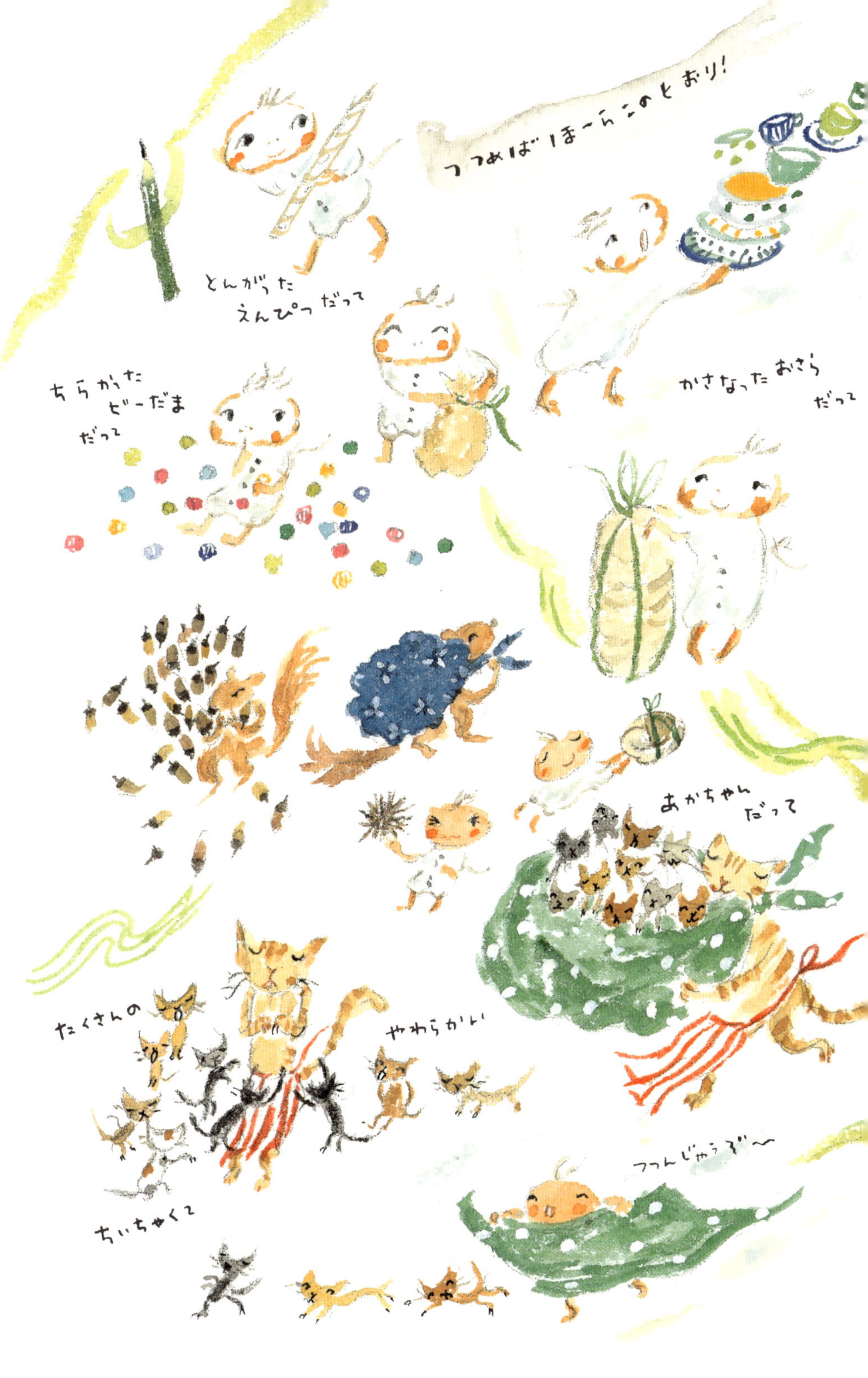
つつめば ほ〜らこのとおり!
とんがった
えんぴつ だって
ちらかった
ビーだま
だって
かさなった おさら
だって
あかちゃん
だって
たくさんの
やわらかい
ちいちゃくて
つつんじゃうぞ〜

つつむってふしぎ。つつんで、あけると
なにかが、かわっているような、きがします。

でも、じょうずにつつむのは、とってもたいへん。

だれかが、うんとじょうずに、うんときれいにつつんでくれたら、みんな、たすかるよね。

だれかって、だれ？

「それは、わたし。おおきくなったら、ツツミマスさんになる！」

くるひもくるひも、つつんでつつんで、またつつみ…いまでは、さかだちしてたって、めかくししてたって、なんだって、つつめちゃう。だれよりもじょうずにね。

そして、ツツミマスさんは
おみせをひらきました。

おだいは
コナサラへ

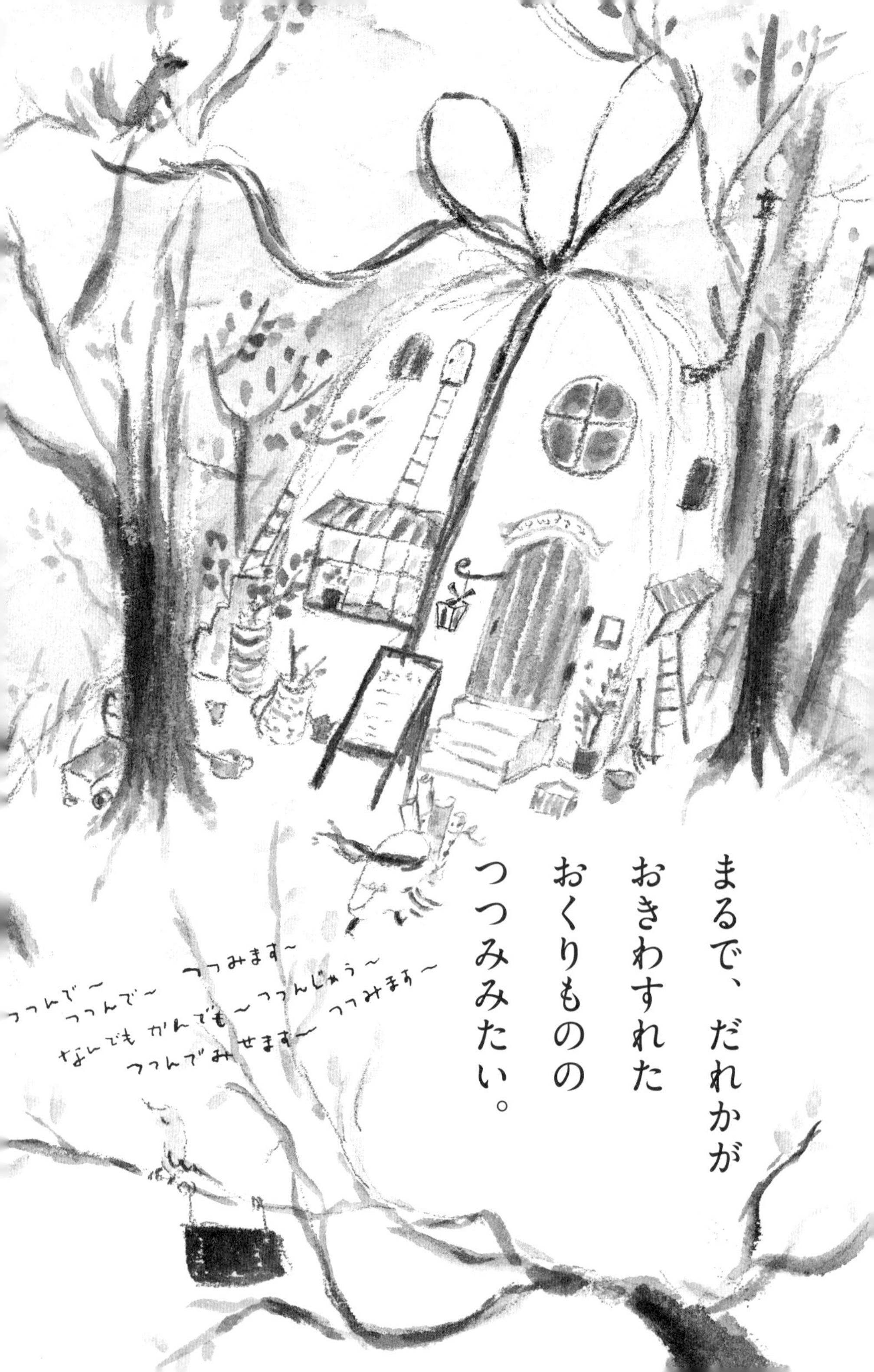

まるで、だれかが
おきわすれた
おくりものの
つつみみたい。

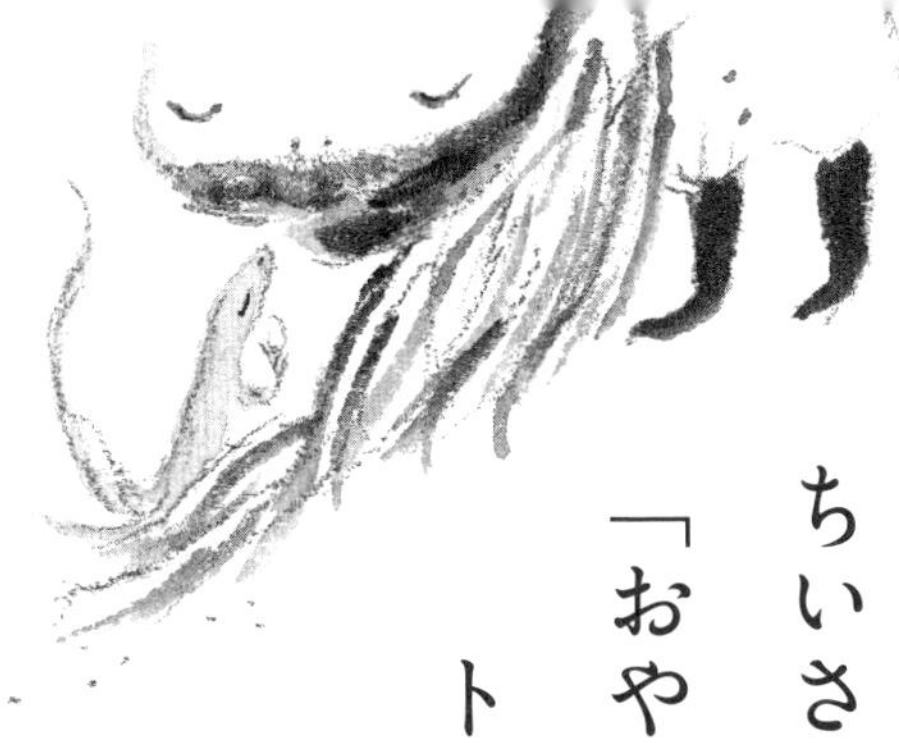

あるあさのことです。

「ねえ、つつんでったら！」

どこからか、こんなこえがきこえました。

「はいはい。なんでもつつみますよ」

よくみると、ほうきのかげに
ちいさなトカゲのおきゃくさま。

「おやおや。いらっしゃいませ」

トカゲは、しっぽをせかせかとふりながら、
ツツミマスさんのかおをみるなり、いいました。

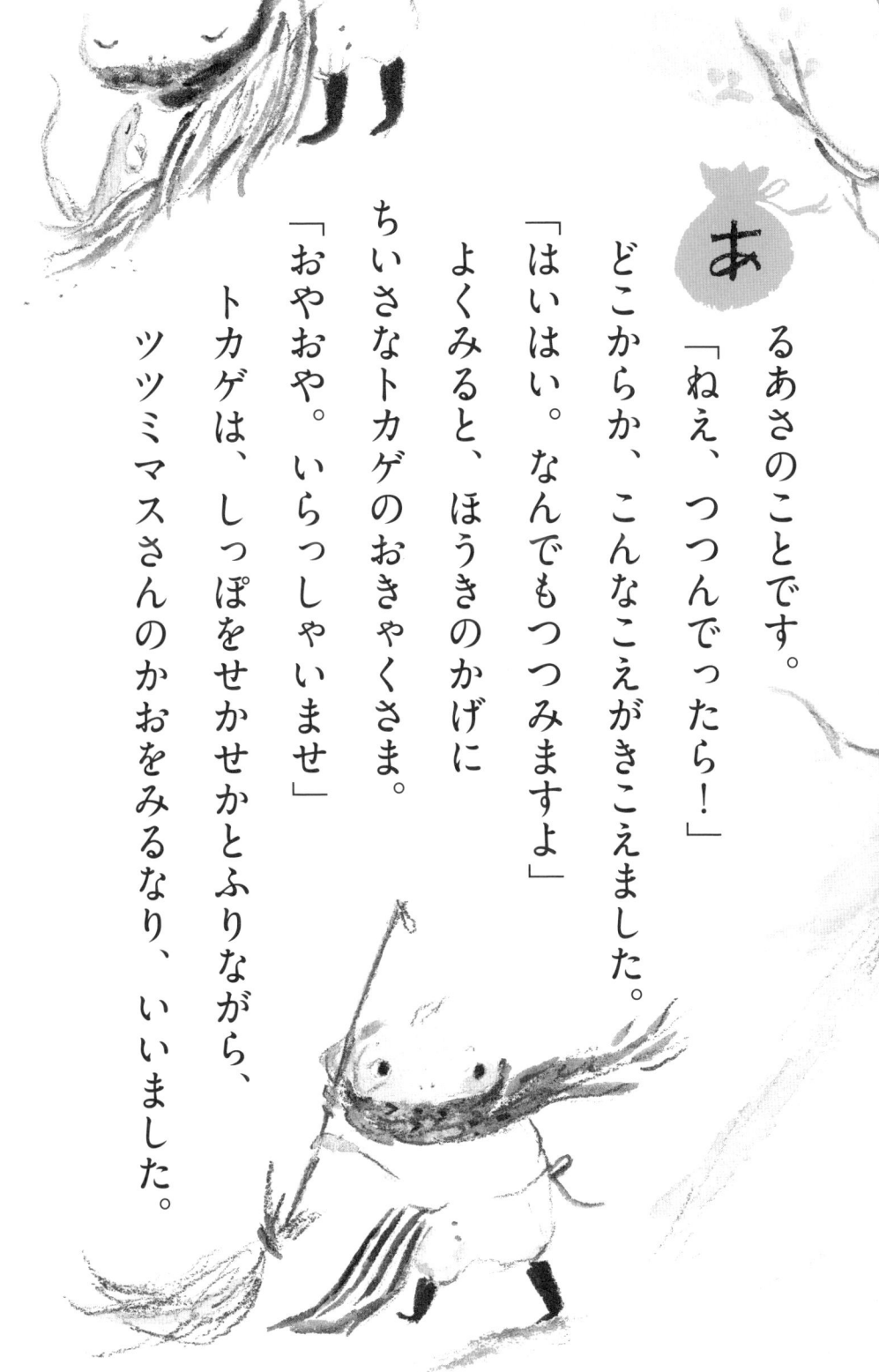

「もうっ、なんどもよんでるのに。
これこれ、これをカタツムリのおみまいに
もっていきたいの。だから、つつんで！」
　トカゲのてのひらには、
あさつゆがひとつ、きらきら
かがやいていました。
　カタツムリは、かぜをひいて
ねこんでいるのだそうです。
「これで、げんきになってほしくって。

あさつゆは、からだにいいからね。

でも、でも、このままじゃぼく、
ぜったいに、おとしちゃう」

トカゲは、はなをぐすんとさせました。

ツツミマスさんは、あさつゆを
じーっとみつめると、いいました。

「おまかせください！　でも、ちょっとおまちを」

「はやく、はやくね。つゆのいのちはみじかいの」

ツツミマスさんは、うらのはやしにとんでいきました。

まずは、ふきのはの
ちいさいのを、１まい。
それから、
あじさいのはなをいくつかと、
こけをひとつまみ。
さいごに、あじさいのはっぱを
のぞきこむと、ひょいひょいひょい。
ゆびをまわしました。

するとˎ、はっぱのうえの
あめのしずくが、ぎょうぎよく、
ころころならんで、つながって
ゆびにまきつきました。
「あめのしずくのリボン！
できあがり」
さあ、いそいで
もどらなきゃ。

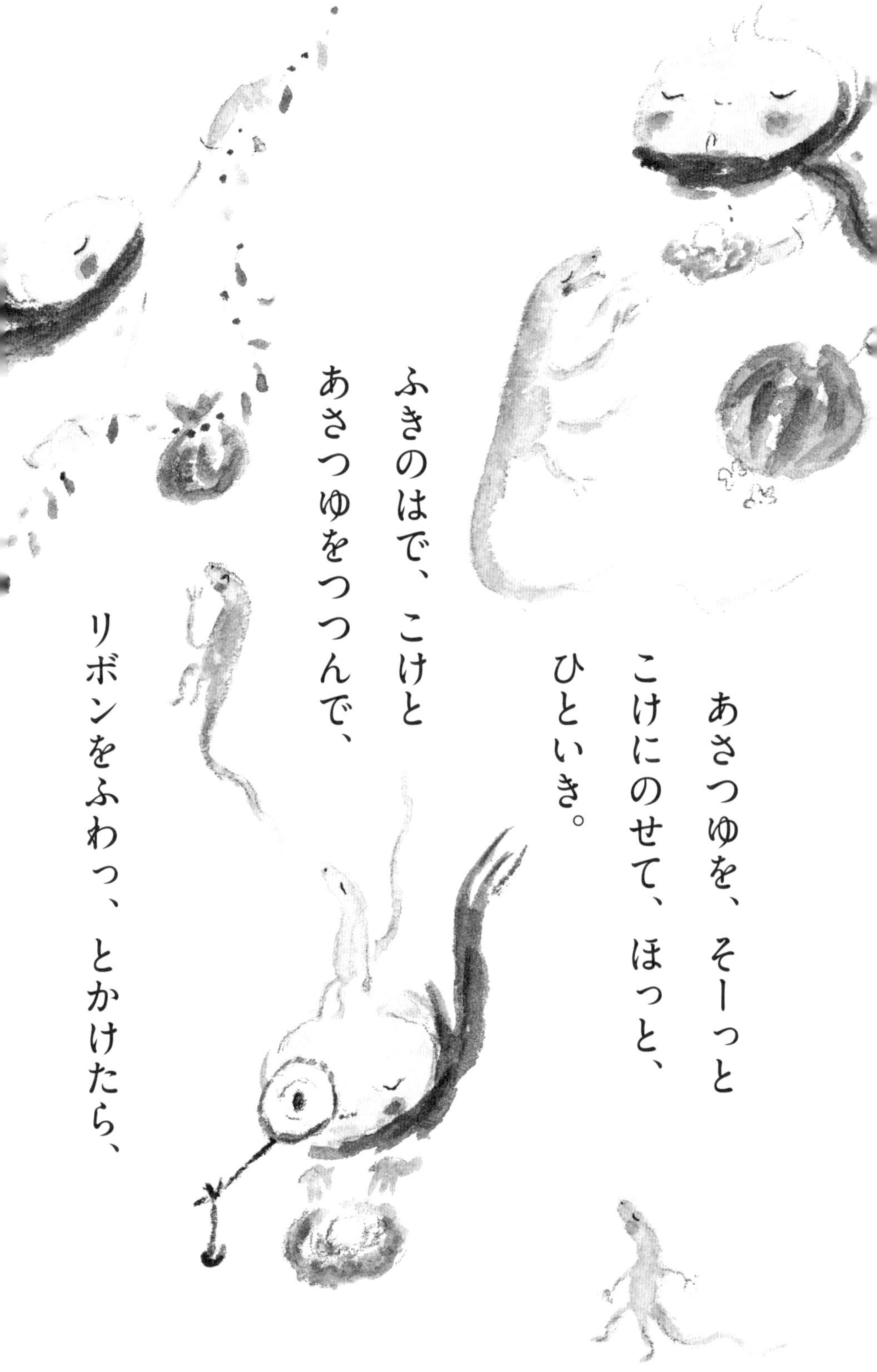

あさつゆを、そーっと
こけにのせて、ほっと、
ひといき。

ふきのはで、こけと
あさつゆをつつんで、

リボンをふわっ、とかけたら、

しあげに、あじさいのはなを
あしらって、できあがり！

「いかがでしょう？」
トカゲは、ぼうっとつつみをみて、
それから、ツツミマスさんをみて、
また、つつみをみました。
そして、ほうっといきをはきました。
「すごい、すごいすごい」

「おきにめしましたか」
「もう、なにからなにまで！」
トカゲは、うれしそうにつつみをかかえると、
きゅうに、まじめなかおになって、いいました。
「カタツムリ、よろこんでくれるかな？」
「それは、もう。きっと」
トカゲは、ぱっと、えがおに
なると、とんではねて、
しゅしゅっ。

そのすがたは、あっというまに
みえなくなりました。

すると、なんだか
うれしくなってきて、
ツツミマスさんもとびはねました。
「またのおいでをおまちしていますー」

リボンをほどけば、
あめのしずくで、くうきは
しっとり。あじさいのかおりも
ただよいます。
つつみをひらけば、あさつゆが
ツルンとかおをだし、おもわず
たべたくなっちゃうはず。
「きっと、
すぐによくなるね」

あるひのことです。
ズン、ズン、ズン、ドシ〜ン。
じひびきがちかづいてきたとおもったら、
おみせのまえでとまりました。

ツツミマスさんが、
あわてて
とびらをあけると、
おおきなあしが、ふたつ。
あししか、みえません。

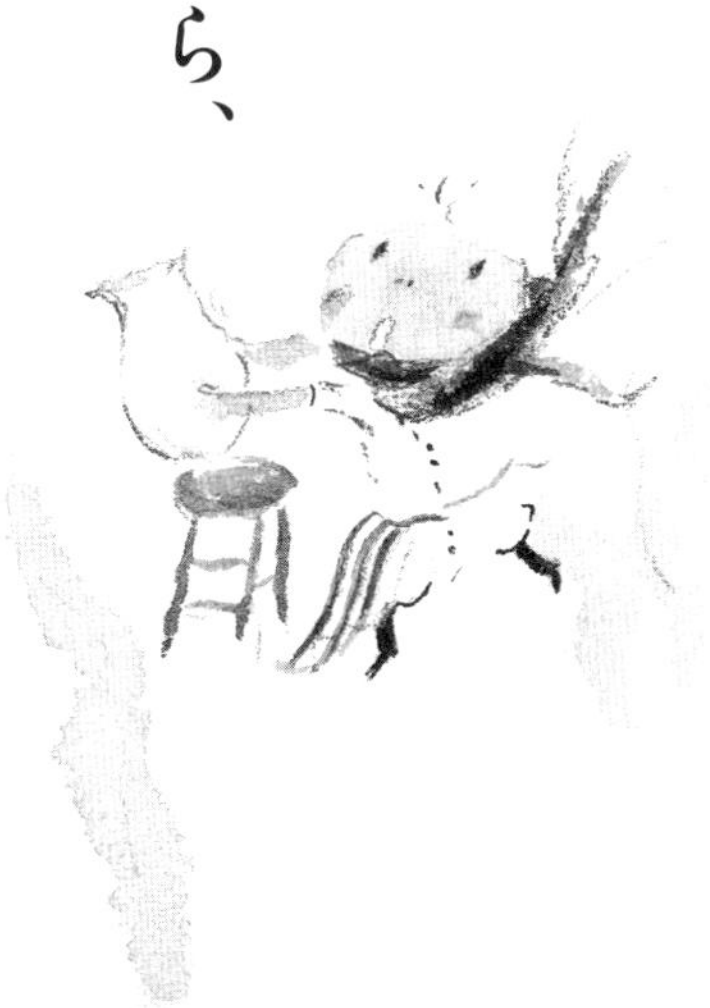

ツツミマスさんは、あしにむかって、
「い、いらっしゃいませ」
と、いってみました。
すると、てんから、こえがふってきました。
「なんでもぉ、つつんでくれるってのはぁ、
ほんとうかいいいぃ～」
つづいて、けだらけのかおが、
にゅうーっ。

「ゆきおとこ、さん！」

いつもは、こおったやまのてっぺんにすんでいて、
めったにみかけることはありません。

ゆきおとこは、ツツミマスさんが、あまりに
ちいさいので、ちょっとがっかりしたようでした。
「あんた、ずいぶんちっぽけだけど、
だいじょうぶかね」

いうやいなや、ズシーン、と
にわにおろしたのは、
きょだいなもくばでした。
「うちのかわいいゆきむすめの
たんじょうびに、な」

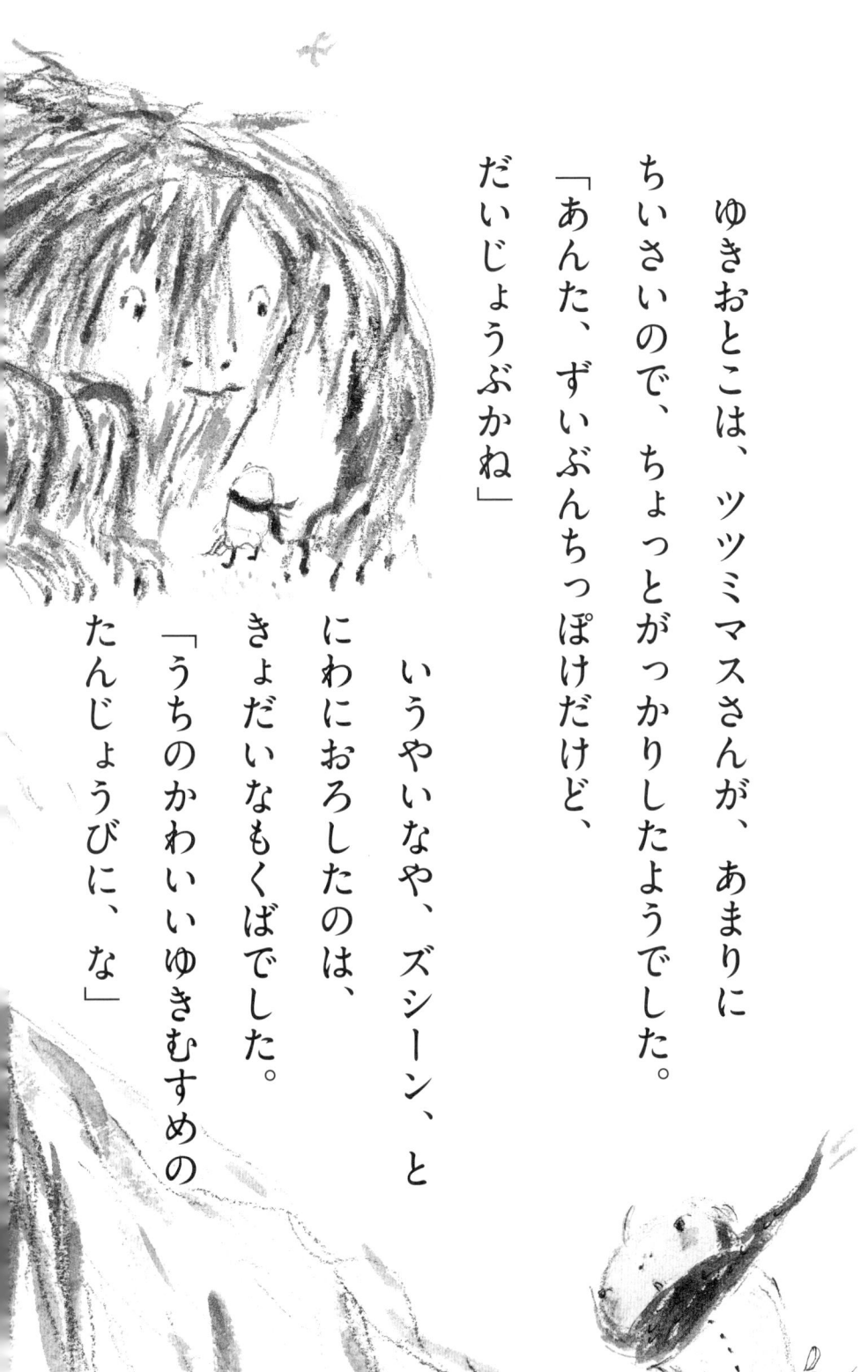

「な、なんでもつつみます！
おまかせください」
すると、ゆきおとこは
もじもじしながら、
「そのう…は、はな？
なんて、かざれるかい」
と、いいました。

「うちんとこは、ねんじゅう、ゆきとこおりばっかりで。

ほんもののはなをみせてやりたいなぁ、なんてな。

いやぁ、むりならいいんだ。かれちまうだろうしな」

「はなですね。もちろん、できますとも」

ツツミマスさんは、むねをはりました。

「ほんとかい？」

さあ、おおしごとです。

ツツミマスさんは、みせじゅうでいちばん
おおきなかみを、ひっぱりだしてきました。

「えいやっ」
にわいっぱいに
ひろげると、
なにやら、
かみのうえを
いったりきたり。

それがおわると、なんと、じょうろで
みずをまきはじめました。
かみのはしからはしまで、しっとりとです。
それから、ながーいはしごと、つりざおを
かついできて、いいました。
「もくばを、かみのうえにおいてくださぁい」
ツツミマスさんは、はしごによじのぼると、
つりざおをふりあげて、ピシッ！
かみのはしっこをつりあげました。

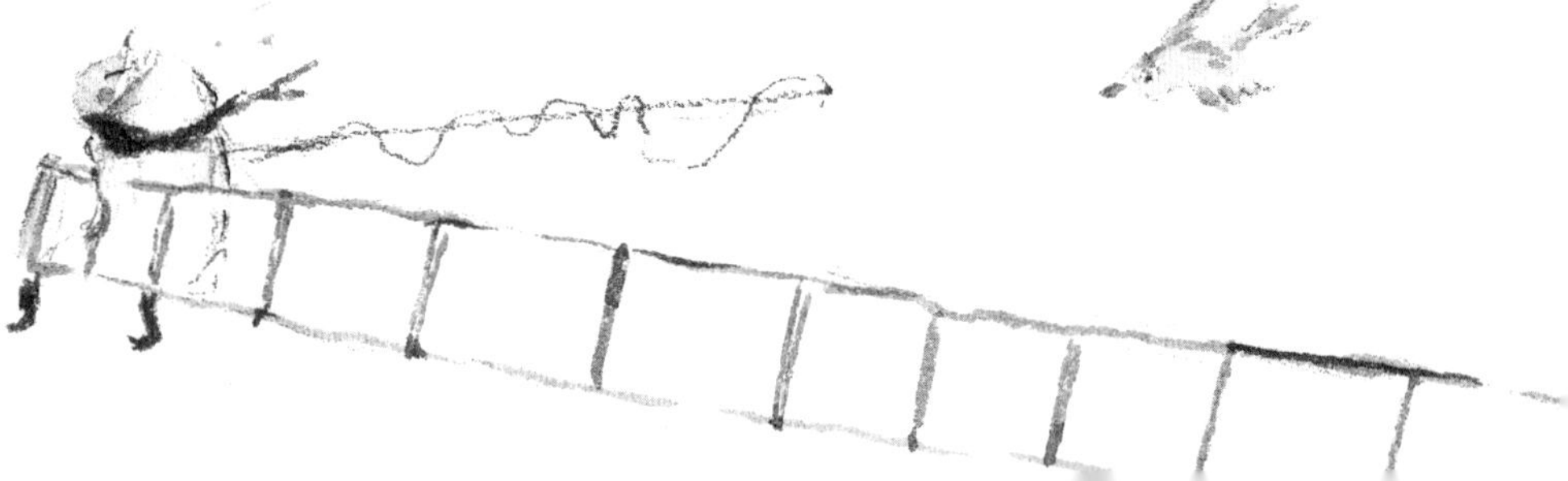

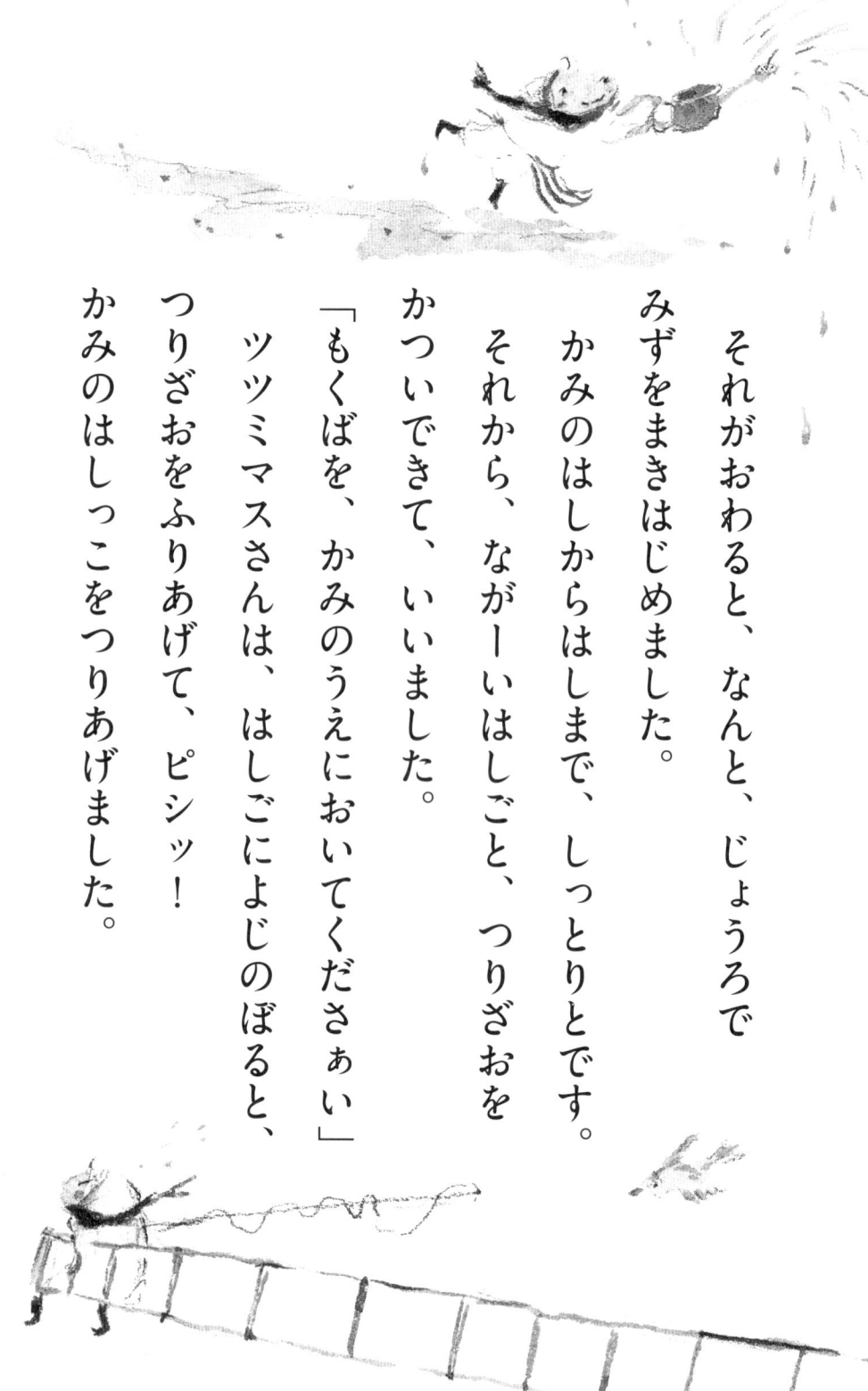

ピシッピシ！
かみをつりあげては、
もくばをつつんでいきます。

さいごに、とっておきの
バラいろのリボンをとりだしました。
「はるかぜのリボン！」

さけぶやいなや、
クルクルまわして、
シュパパパパッ。
「で、できた！」

ところが、ゆきおとこは、
つつみをみると、
「なんだ、これは。いったい
はなは、ど、こ、に、あるんだぁ〜」
と、おそろしいこえで、わめきました。

ゆきおとこのくちからは、
ゆきやあられがごうごうとふいて、

ツツミマスさんは、あやうく
ゆきだるまになるところでした。

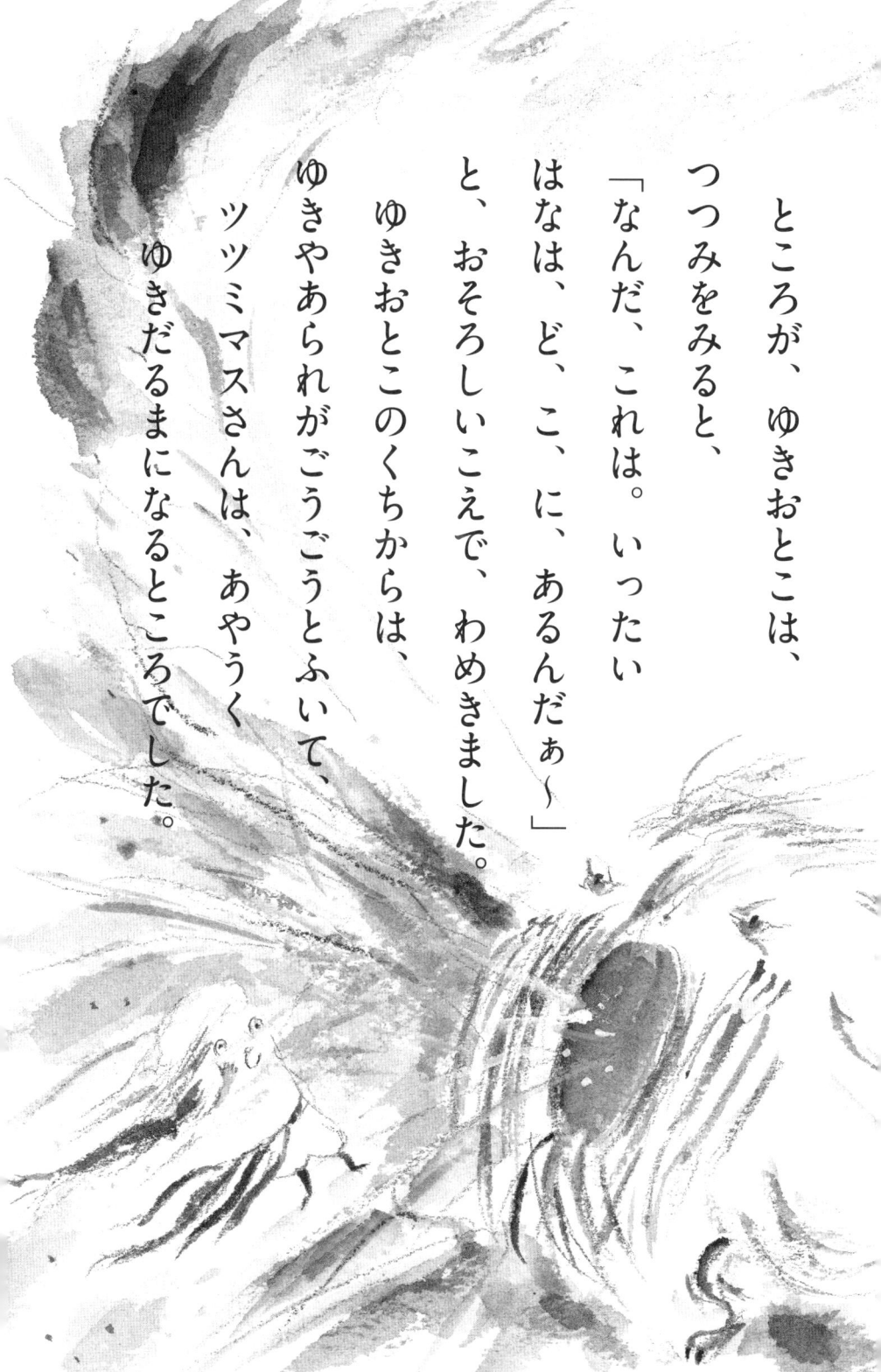

「あ、あ、それは、あけたときのおたのしみで……」
ツツミマスさんがあわてて、ゆきおとこの
みみに、なにかささやくと、
「ふんふん？　なんと！　そうか、そりゃあいい」
ゆきおとこは、にんまりとわらいました。
「ちっぽけなくせに、たいしたやつだな。おまえ」
ゆきおとこは、すっかりごきげんで、
つつみをかかえると、
やまへとかえっていきました。

「ふえ〜、もうだめ」
ツツミマスさんは、もう
クタクタでした。
なのに、ツツミマスさんも
ごきげんでした。
なんだかおかしくて、
くすくすわらいが
とまりません。
「きっといまごろ…ね」

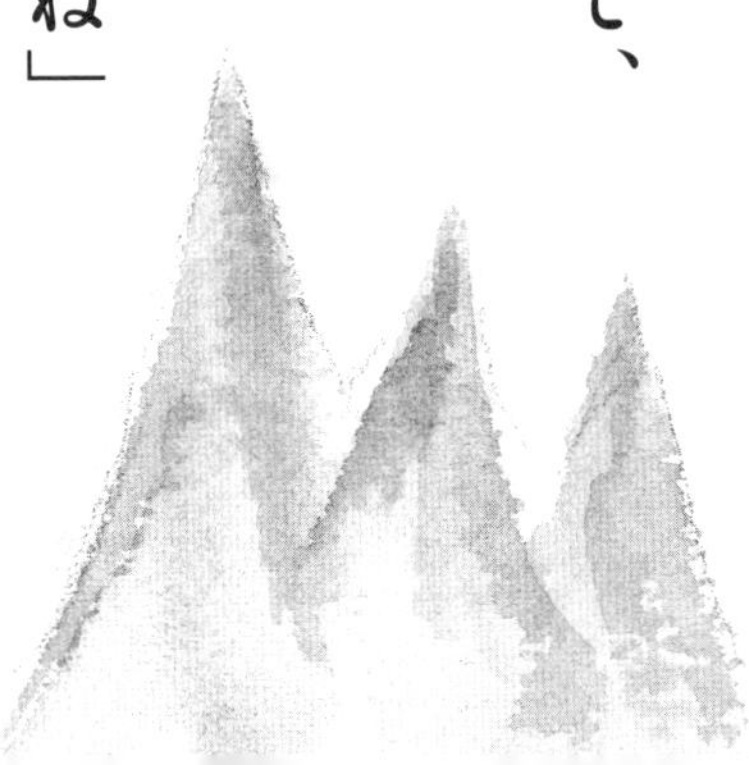

リボンをほどけば、
はるかぜが、ぶわんと
ふいて、ゆきもこおりも
とけていきます。
つつみからは、ぷちぷち
おとをたてて、はなのめが
かおをだし、みるみるうちに、
そこらじゅうがはなばたけに
なるでしょう！

ツツミマスさんは、かみに
たねをまいておいたのです。
もくばにも、こぼれた
たねがめをだして、まるで
メリーゴーランド。
はるかぜのリボンの
おかげですから、
すこしだけ、たんじょうびの
あいだだけですけどね。

あるよる。

トトト、と、とびらをたたくおとがします。

「こんなおそくに、おきゃくさま?」

すると、とびらのむこうから、こんなこえが。

「つ〜つ〜んで、く〜れ〜るのぉ〜」

なまあたたかいかぜが、ふわぁ〜っと、
ツツミマスさんをなでました。

とびらをあけると、そこには…。ろうそくみたいに
すきとおったからだ、ふかいいどのような

めと、くち…そう、おきゃくさまは、おばけでした。
ちいさなおんなのこのおばけです。

ツツミマスさんは、おしりがムズムズして、
おへそがひっくりかえりそうでした。

でも、おちつきはらったふうで、いいました。

「いらっしゃいませ。なんでもつつみますよ」

おばけは、ゆらゆらゆれながら、

「おじいさんに～おくりものをしたいの～」

と、いいました。

「はい、はい。おじいさまに。それで、おくりものは、なんでしょう？」

すると、おばけは、しょんぼりうつむきました。

「あたし～なにも、もってないの」
「えっ？　ない？　なんにも？」
ツツミマスさんはこまりました。
おくりものがなければ、
つつむことはできません。
「あの～あのね、おじいさん、
うみのえをみては、ためいきばかり
ついてるの～。だから、
　あたし、あたし…」

「げんきづけてあげたいのですね？」
ツツミマスさんがいうと、おばけは
おおきくうなずきました。
「だって～、おくりもののつつみを
あけるときって、すご～くうれしくて、
どきどきして、げんきがでるんでしょ？」
そして、はやくちで、こういいました。
「あたし、おくったことも、あけたことも
ないから、わからないけど～」

ツツミマスさんは、うーん、と
かんがえこんでしまいました。
おばけのきもちは、よーくわかりましたが、
おくりもののない、おくりもののつつみ、なんて。
（つつむことなら、なんだってできるけど）
でも、ツツミマスさんは、ちょっと
わくわくしてきました。
（おくりものをかんがえるのって、
ひさしぶり）

だけど、おばけのおじいさんが
げんきになるおくりものって？
「そうか、うみか。うん、それしかない」
ツツミマスさんは、さっそく、

ふろしきに
かみをつつみ、

はさみをこしに
ぶらさげて、いいました。

「さあ、でかけましょう」

「え、どこに～？」

「うみですよ。うみはきっと、
おじいさまのたいせつなばしょなんです。

だったら、うみにいかなくちゃ！」

おばけのかおが、パッとあかるくなりました。

うみにやってくると、
ツツミマスさんは、すなはまを
うろうろ、きょろきょろ。
「なにをさがしているのよぉ〜」
「わたしにも、わかりません。
なにか、うみのもので、
おじいさまに
〈ぴったり〉のもの」
ふたりは、さがしてさがして、

さがしまわりました。みなとも、
みさきも、しおだまりも。
でも、なかなか〈ぴったり〉が、
みつかりません。

ヘトヘトになって、
すなはまにもどってくると、
「あ〜、あそこをみて！」
おばけがゆびさしたそのさきに、
しろくかがやいていたのは…

おおきなおおきなかいがらでした。

「こ、これだ。これこそ〈ぴったり〉ですよ！

これはね、そのなも、『うみのおもいで』」

「『うみのおもいで』〜!?」

おばけは、まじまじと
かいがらをみつめました。

「これは、いれものなんですって。

なにがはいってるか、わかる？」

「う〜ん？」

「ここに、みみをあててみて」

すると…

「あ〜、うみのおとだ。
うみがはいってる〜」
「ね？　いいでしょう」
おばけは、めをとじて、
しばらくみみを
かたむけてから、いいました。
「うん…。すごく、いい」

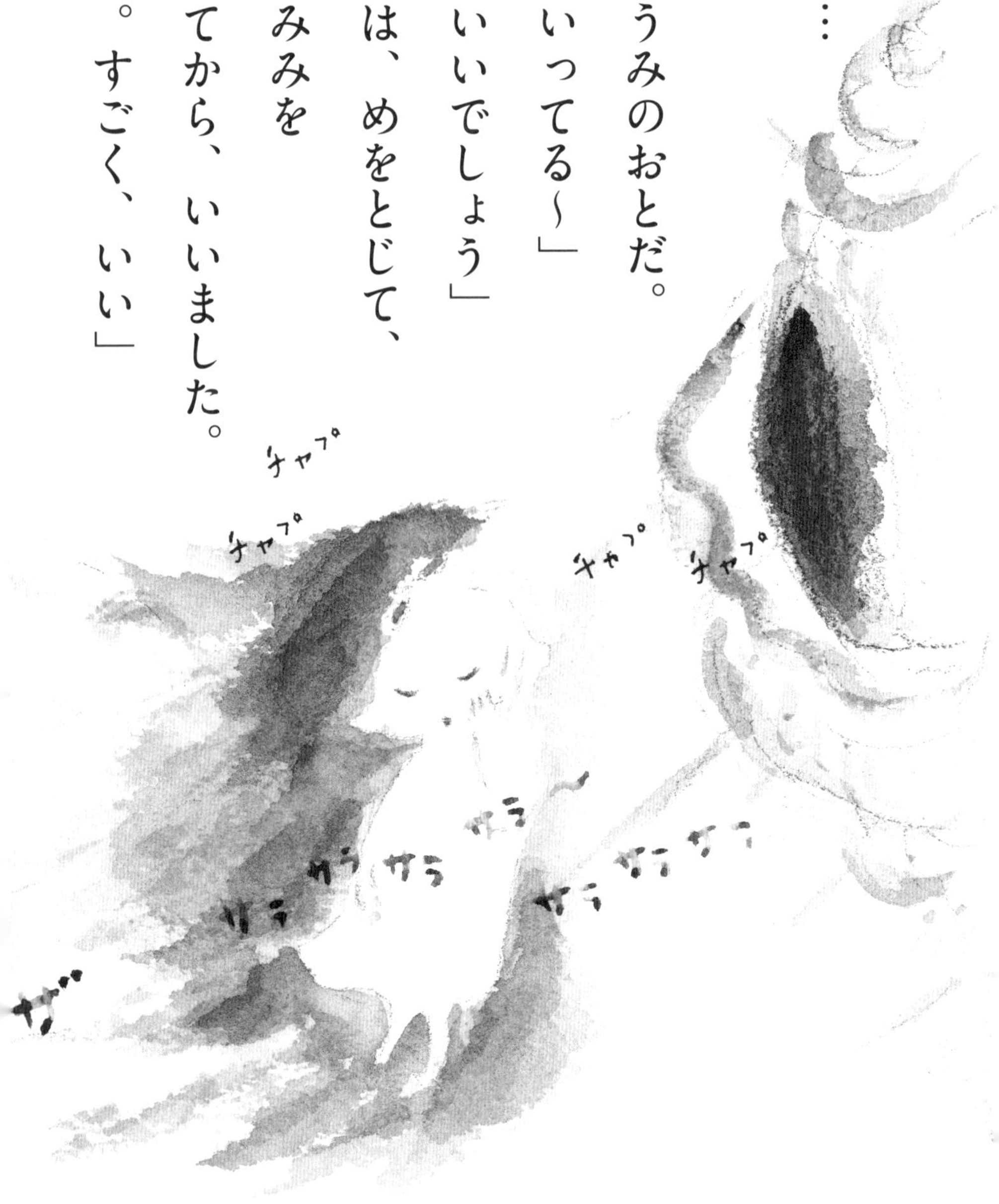

「では、つつみますね」

ツツミマスさんは、
かみをとりだすと、
はしっこをつまんで
なみをひとなで、
ふたなで。
すなはまに、えいやっと
ひろげました。

ザ ザ

かみのうえに、
なみがおどって、まるで、
ちいさなうみのようです。

「そのなも、
なみのしぶきの
つつみがみ！」

つぎに、
うみにむかって、
ぴぃーいっと
ゆびぶえを
ならすと、
うみのかなたから、
しおかぜが
やってきました。

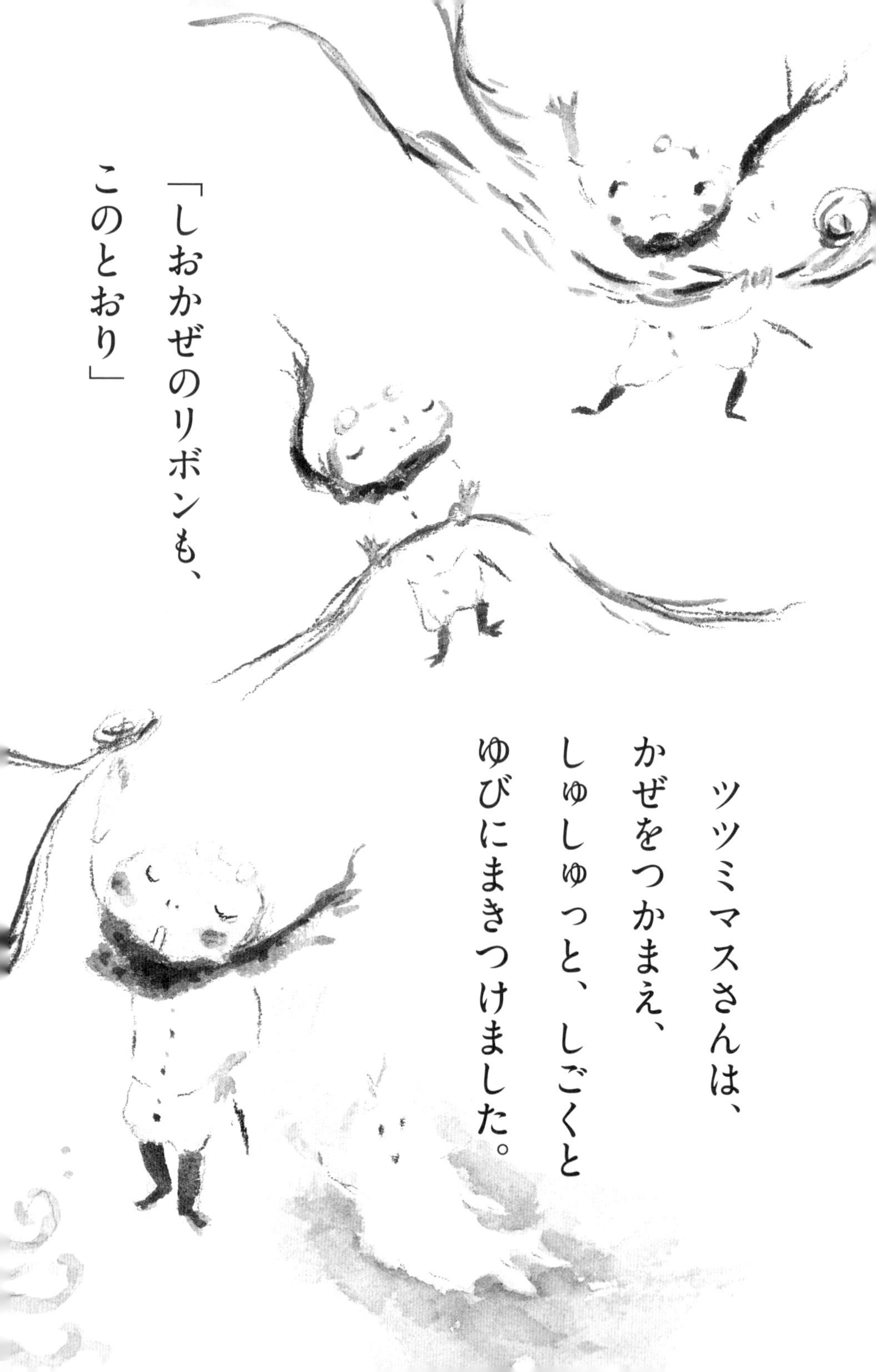

ツツミマスさんは、
かぜをつかまえ、
しゅしゅっと、しごくと
ゆびにまきつけました。

「しおかぜのリボンも、
このとおり」

かいがらを
つつんで、
リボンをかけると…。
「ふねだ〜！」
おばけは、からだをぼーっと
ひからせて、よろこびました。

「おきにめしましたか？」

「ものすご〜く、ね」

おばけは、つつみをだきしめました。

「おじいさま、げんきになるといいですねえ」
「そんなにしんぱいなら、いっしょにこ〜な〜い〜？」
おばけがそういうと、くうきがひゅーっと
つめたくなりました。

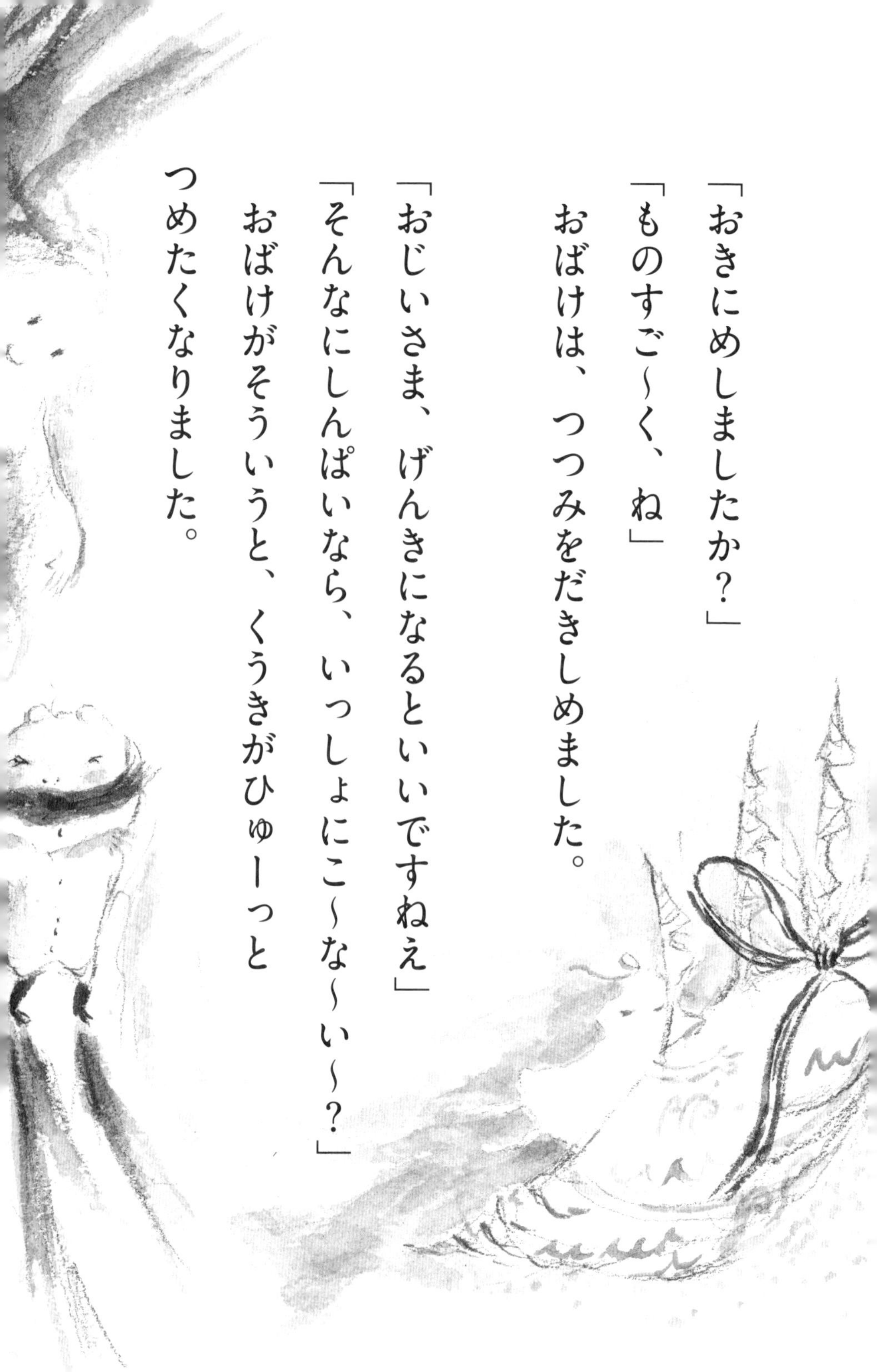

「いっ、いえいえいえ！」

「ふふふふ。ありがとうねぇ～」

おばけは、ほほえんだかとおもうと、

フシュッ！　やみにとけて、

きえてしまいました。

「ひゃあっ。ま、またのおいでをおまちしています」

おばけのおじいさんが
つつみをあけると、しおかぜが
ほほをなで、なみしぶきが
ぴちゃっとあがります。
　そして、うみのおとが、
おじいさんを、すっぽりと
つつみます。
　まるで、うみのうえに
いるみたいにね。

しばらくして、おじいさんから、
おれいのてがみがとどきました。
「よかった。げんきになって」
ふしぎなことに、かいがらから
きこえてきたのは、なみのおとだけ
ではなかったそうです。
にんぎょのうたごえに、
かいぞくたちのどんちゃんさわぎ、
りゅうのとぶおとなんかも。

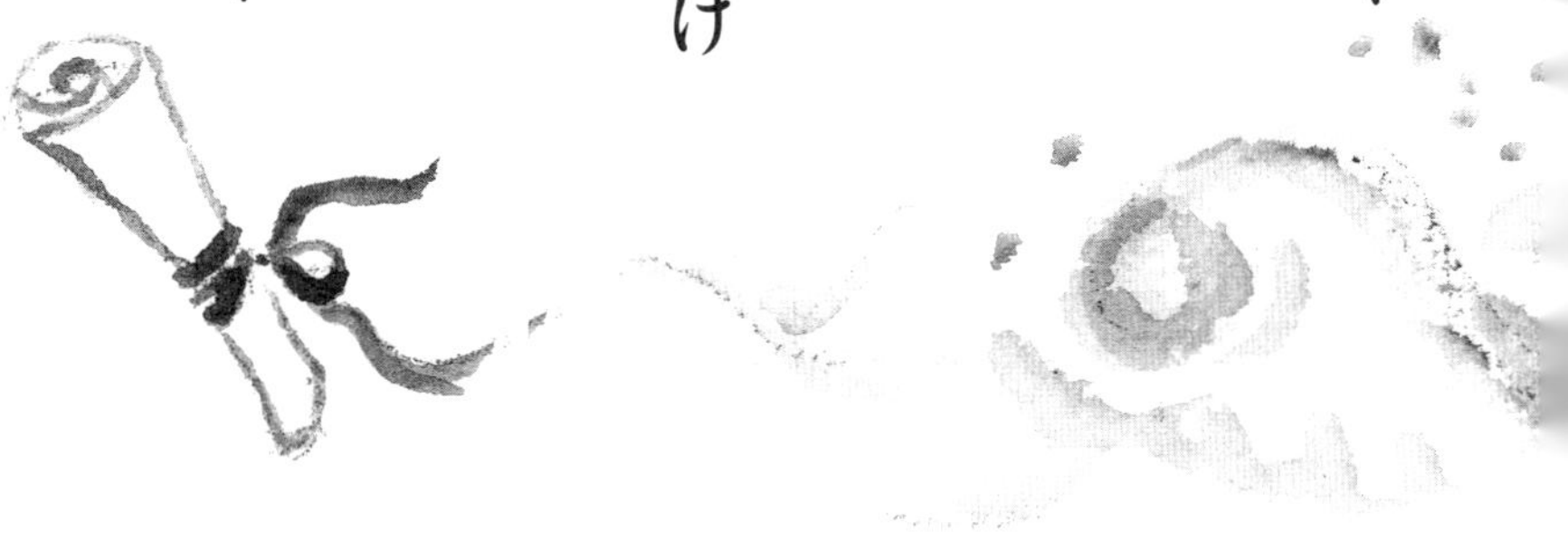

かいがらは、なみしぶきのかみにつつまれて、
わすれていたうみのおとを、おもいだしたのでしょうか。
てがみのさいごには…

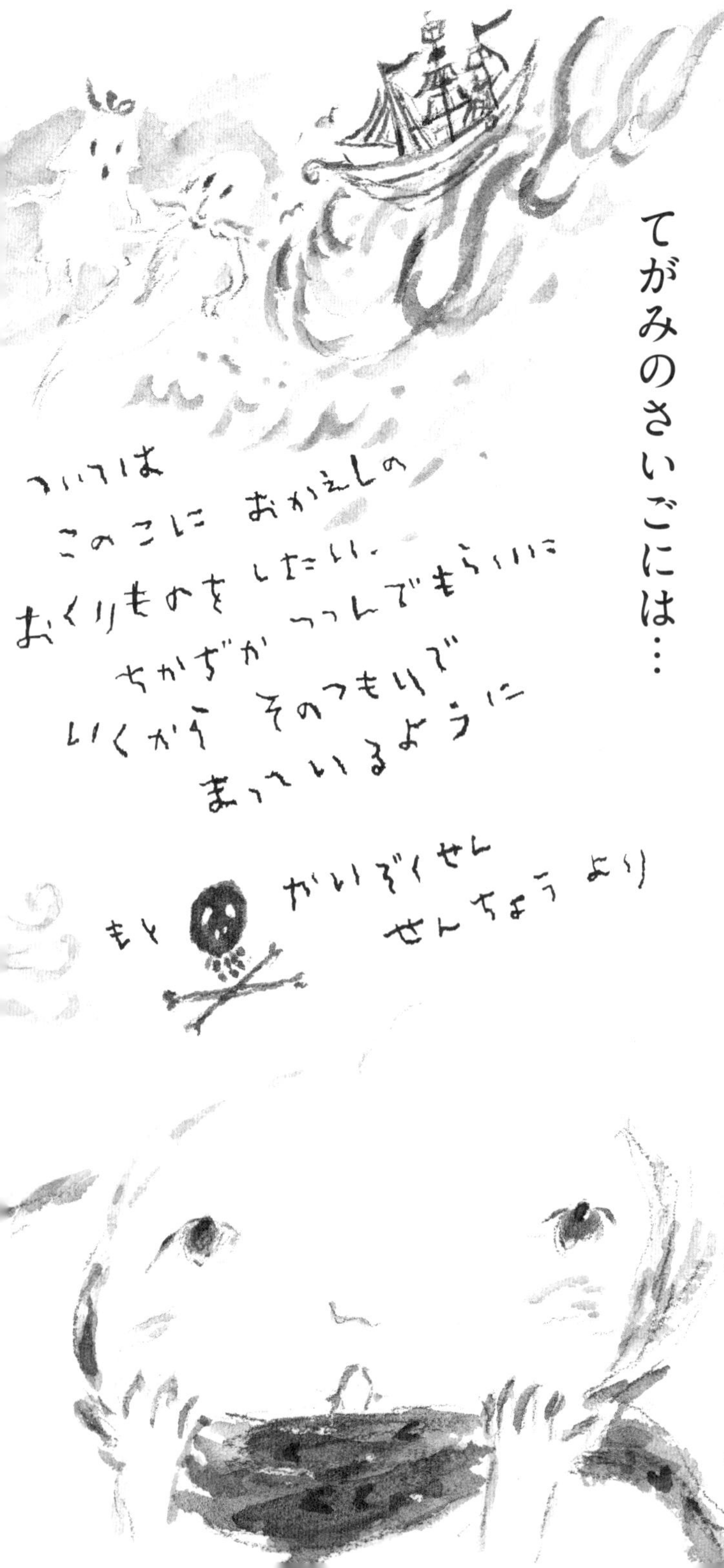
ついては
このこに おかえしの
おくりものを したい。
ちかぢか つつんでもらいに
いくから そのつもりで
まっているように
もと かいぞくせん
せんちょう より
かいぞく…!

「きゃっ！」
ツツミマスさんが、　ひめいを
あげたのは、　いうまでもありません。

ツツミマスさんは、　ふと、　じいちゃんに
もらった、　えりまきをみました。
つつめば、　きっと、　なにかがかわる。
「じいちゃんのおかげだ…」

ツツミマスさんは、
みせじゅうのかみを
きって、つなげて、
おおきなかみを
こしらえました。

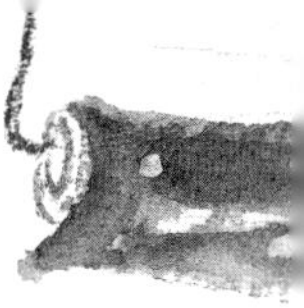

くるくる、じぶんをつつんだら、しあげに
えりまきを、まいてむすんで、できあがり。
くちぶえを、ぴゅーっとならして
かぜをよぶと、ツツミマスさんはいいました。
「このつつみをはこんで！
じいちゃんのとこまで」

作者
こがしわかおり
一九六八年埼玉県生まれ。出版社勤務後フリーに。絵に『ちいさなおはなしやさんのおはなし』（小峰書店）、『白いおうむの森』（偕成社）、『ぼくたちはなく』（PHP研究所）、『ロップのふしぎな髪かざり』『わらうきいろオニ』（講談社）、『やねうらホテル』（福音館書店こどものとも）、デザインに『コロッケくんの冒険』（偕成社）、『クジラにあいたいときは』（講談社）、『バスがくるまで』（小峰書店）など。
http://www.pagoda-house.net/

おはなしだいすき
クリスマスさんと3つのおくりもの
2015年7月21日　第1刷発行
作者　こがしわかおり
発行者　小峰紀雄
発行所　株式会社小峰書店
〒162-0066
東京都新宿区市谷台町4-15
TEL　03-3357-3521
FAX　03-3357-1027
組版・印刷　株式会社精興社
製本　小髙製本工業株式会社
乱丁・落丁本はお取りかえいたします。

ISBN978-4-338-19232-3 NDC913 63p 22cm
URL http://www.komineshoten.co.jp/